GIANNI RODARI

Jip
dans le téléviseur

illustrations de Granjabiel
traduit de l'italien par Armand Monjo

SCANDÉDITIONS LA FARANDOLE

le clou aussi a une tête,
mais est-ce à dire qu'il raisonne ?
il en est trop souvent de même
pour un bon nombre de personnes

Gianni Rodari

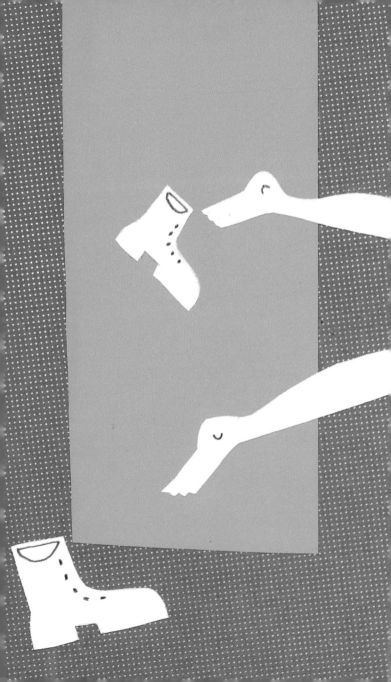

Gloup ! deux fois Gloup !

L e 17 janvier à 18 heures 30 le jeune Jean-Pierre Binda, dit Jip, âgé de huit ans, habitant à Milan dans la maison de ses parents, 175 rue Settembrini, bâtiment 14, alluma le poste de télévision, fit glisser ses pieds hors de ses souliers et se pelotonna dans un fauteuil de simili cuir vert, prêt à savourer le film au programme, dans la série des Aventures de Plume Blanche.

A sa droite, dans un autre fauteuil était blotti le jeune frère de Jip : Philippe Binda, dit Flip, âgé de cinq ans. Lui aussi, pour être plus à l'aise, s'était déchaussé, laissant ses souliers en désordre sur le sol.

Ce qui séparait les frères Binda, ce n'était pas seulement leur âge, mais le championnat de football : Jip était un farouche partisan de l'Inter et Flip un farouche supporter de la Football Association de Milan. Mais cela n'aura aucune importance pour la suite de cette histoire.

Celle-ci commença à 18 heures 38. A ce moment précis, Jip éprouva soudain une étrange démangeaison, une sorte de fourmillement, dans les jambes. Pas sur la peau, mais bien à l'intérieur.

A 18 heures 39, Jip se sentit irrésistiblement attiré par une force inconnue. Il décolla de son fauteuil, se balança pendant quelques instants en l'air, comme une fusée au moment de son départ pour le cosmos, traversa en volant la pièce et tomba à travers l'écran, la tête la première, dans le poste de télévision.

Il fut aussitôt obligé de s'aplatir derrière un rocher, pour se protéger des flèches des Indiens qui sifflaient de tous côtés, tandis que, de ce nouveau point de vue, son regard stupéfait se fixait sur la pièce, sur le fauteuil vide aux pieds duquel ses souliers étaient restés, et sur le fauteuil occupé par Flip, qui lançait des exclamations de stupeur :

– GLOUP ! deux fois GLOUP ! Mais comment as-tu fait ? Le verre n'est même pas cassé.

– Comment veux-tu que je sache comment j'ai fait, Flip ?

– Mais tu es vraiment *dans* le téléviseur, comme Plume Blanche ? Et par où es-tu passé ?

– Comment veux-tu que je sache par où je suis passé ?

– GLOUP ! Trois fois GLOUP ! Mais tu devrais t'écarter un petit peu, tu m'empêches de bien voir.

– Comment faire, Flip ? Avec toutes ces flèches...

– Tu es un beau froussard. En attendant, moi je ne vois plus rien.

Cependant, sans s'occuper de Jip, les bons étaient en train de repousser l'assaut des méchants. La tribu de Plume Blanche, comme tous les vendredis, triomphait de ses ennemis. Rapidement, la scène changea. Jip ne se trouvait plus derrière un rocher, mais accroupi entre les quatre pattes d'un cheval.

— Terrible ! cria Flip, très effrayé.

Mais Jip ne courait aucun danger : ce n'était pas un cheval sauvage.

— Puisque tu es là, dit alors Flip, demande à Plume Blanche comment il se fait que depuis deux semaines on n'entend plus parler de Nuage Tonnant.

— Mais il ne comprend pas l'italien.

— Eh bien, tu commences par HUGH !

— HUGH ! dit Jip.

Mais Plume Blanche avait autre chose à faire : juste à ce moment-là il délivrait sa squaw aux longues tresses, du pieu où elle était attachée.

— HUGH ! HUGH ! fit encore Jip d'une voix timide.

— Mais plus fort ! l'encouragea Flip. Tu vois bien que tu as peur. Ça se comprend : un supporter de l'Inter...

— Et toi qui défends la F.A. de Milan, tu restes pourtant tranquillement dans ton fauteuil.

— Ah oui ? Eh bien, moi, je ferme le poste et je te fais disparaître.

En disant ces mots, Flip sauta sur le parquet et, sans perdre de temps à enfiler ses souliers, il courut, la main tendue vers le bouton.

— NOOON! hurla Jip de toutes ses forces, et même encore plus fort.

— Bien sûr que j'éteins !

— Maman, au secours !

— Qu'est-ce qu'il y a ? demanda Madame Binda de la cuisine, où elle repassait.

— Flip veut éteindre la télé.

— Allons, Flip ; ne taquine pas ton frère, dit la maman toujours patiente.

— Mais c'est lui qui a sauté dans l'écran.

— Jip, arrête tes plaisanteries, dit sa mère en continuant à repasser. Et ne touche pas au poste, c'est un appareil fragile.

— Ah, s'il n'avait fait que le toucher, précisa Flip triomphant, il est entré tout entier dedans. Il n'a laissé dehors que ses souliers.

— Combien de fois je vous ai dit, avertit Madame Binda que vous ne devez pas marcher sans souliers dans la maison.

— Flip aussi n'a plus ses souliers, répliqua Jip.

Alors Madame Binda décida que le moment était venu d'intervenir. Elle posa son fer en soupirant et apparut à la porte de la cuisine.

— JIIIP !

— Maman !

— Mais qu'est-ce qui t'a pris, diable d'enfant ?

— Ce n'est pas de ma faute, je te le jure, expliqua Jip en sanglotant. Moi, j'étais là, bien sage... Regarde... et il montrait son fauteuil, comme pour lui demander de témoigner en sa faveur.

— Et que va dire papa ? soupira Madame Binda, en se laissant tomber dans le fauteuil.

Juste à ce moment entra la vieille tante Emma, qui était allée acheter un billet de la Loterie.

— Qu'est-ce qu'il me faut voir ! s'écria-t-elle en lançant des regards de reproche à Madame Binda, qui était sa sœur cadette. Et tu permets à tes enfants de jouer à des jeux aussi dangereux ?

On la mit au courant en quelques mots, mais elle n'était pas convaincue.

— Oui, oui, vous pouvez bien me parler de « forces mystérieuses ». Dites plutôt que ce jeune homme a voulu se mettre à l'abri des gifles de

son père. Est-ce que ce n'était pas ce soir précisément, qu'il devait faire signer son carnet de notes, avec un beau 2 en maths ? Et maintenant, attrapez-moi donc ce vilain moineau en lui mettant du sel sur la queue ! Mais cela ne se passera pas comme ça ! Je téléphone aussitôt à un électricien.

Sommé énergiquement de venir, l'électricien jura qu'il serait là dans dix minutes. En attendant, sur l'écran de la télé, les Peaux-Rouges, chevaleresques, avaient cédé la place à une aimable dame qui expliquait un truc pour assaisonner la salade sans huile.

— Quelle barbe ! grogna Flip. Et il décida sans plus tarder de faire de la peinture. Il prépara sur la table une feuille de papier blanc, les godets de couleurs, le petit pot pour l'eau, ses pinceaux, et ceux de Jip.

— Maman, il a pris mes pinceaux, protesta Jip, en levant la tête du saladier dans lequel il était tombé.

— Flip, laisse les affaires de ton frère.

Flip ne fit pas le plus petit signe qu'il avait entendu. Il commença même à étendre un magnifique bleu avec un des pinceaux de Jip.

Jip cria, tempêta, menaça. Mais, pour une fois, il n'était absolument pas capable d'atteindre son frère avec ses mains. Son impuissance redoubla sa fureur.

Jip criait. Flip criait pour ne pas l'entendre. Leur maman et tante Emma criaient pour rétablir la paix.

C'est au milieu de ce beau concert que Monsieur Giordano Binda en personne, revenant de la banque où il était comptable, fit son entrée. Monsieur Binda, le père.

– Belle réception, constata-t-il.

– Oh, ne t'inquiète pas, dit rapidement Madame Binda, l'électricien va venir tout de suite.

– Et s'il se met à crier lui aussi, ce sont les pompiers qui viendront ! Mais qu'est-ce qu'il vient faire ? C'est la machine à laver qui est encore en panne ?

– Mais voyons, c'est pour Jip.

– Jip ? Je parie qu'il a cassé mon rasoir électrique, comme la semaine dernière. Mais, à propos de Jip, où s'est-il caché ?

– Je suis ici, papa, dit une petite voix dans un soupir.

Le comptable Binda, se fiant à ses oreilles, se tourna vers le téléviseur et resta immobile, pareil à la statue d'un comptable.

– Maintenant, c'est fait, disait la tante Emma, il n'y a plus qu'à lui pardonner. Le trimestre prochain notre Jip aura le plus beau carnet de son école et la meilleure note en maths de toute la ville.

– Le carnet ? les maths ? balbutia Monsieur Binda désorienté.

– Je vais le chercher, tu le signes, Jip sort bien gentiment de là et on se met à table.

Et la brave Mademoiselle Emma se dirigea d'un air résolu vers le tiroir où l'on avait laissé le fameux carnet scolaire macérer un peu pour le rendre plus facile à digérer par le commandant en chef.

– Laisse donc, laisse donc, dit Monsieur Binda. Il ne s'agit pas de mauvaise note, mais d'une terrible maladie. Justement, l'autre jour, il y avait dans le journal un article d'un certain Rodari qui décrivait un fait de ce genre, qui était arrivé à un avocat, mais à un grand avocat, un des rois du barreau. Cet avocat s'était tellement passionné pour la télévision qu'il en négligeait sa famille, ses affaires et sa santé. Pour lui, une seule chose comptait : son poste de télé. Il le couvait jour et nuit pour ne pas perdre une minute du programme. Il le laissait allumé même quand on ne transmettait rien et restait là pendant des heures à attendre qu'une speakerine apparaisse enfin sur l'écran. Et tout était bon pour lui : comédies, films, conférences, publicités, interludes, les cours pour analphabètes, les tombeaux étrusques, n'importe quoi, bref, comme Jip et Flip. Naturellement, c'était une maladie.

— Et comment ça a fini ?

— Ça a fini que l'avocat est tombé dans le téléviseur et qu'il y est resté enfermé pendant trois jours. Figurez-vous qu'il recevait ses clients dans cette position, et cela a fait très mauvaise impression, parce qu'il était en bras de chemise, avec ses bretelles, et qu'il n'avait même pas de cravate.

— Et comment a-t-il fait pour en sortir ?

Le comptable Binda ouvrit la bouche pour répondre. Puis, comme frappé d'une inspiration soudaine, il courut dans l'entrée, sortit sur le palier et frappa à la porte en face, chez l'avocat Prosperi (c'était un autre avocat, bien entendu, pas celui qui avait été malade. En Italie, des avocats, il y en a de vrais régiments).

– Bonsoir, Monsieur Binda. Avez-vous besoin de quelque chose ? Entrez donc.

– Écoutez : pourriez-vous me prêter votre poste de télévision pour une dizaine de minutes ?

– A l'instant même ? Le journal télévisé va commencer, et cela m'ennuierait de le rater. Vous devriez plutôt faire une chose : venez le voir chez moi, si votre poste est en panne.

Monsieur Binda expliqua en quelques mots la situation et ajouta :

– Sur ce journal il y avait aussi la façon de soigner cette maladie. Il suffit de mettre un deuxième poste en face de celui dans lequel est tombé le malade. Ce dernier est aussitôt attiré par le nouvel écran, et il bondit hors du premier pour s'y précipiter. On saisit le moment précis où il flotte dans l'air, on éteint en même temps les deux postes, et l'affaire est réglée : le pouvoir d'attraction cesse et le malade retombe sur terre. Naturellement il faut mettre un tapis pour qu'il ne se fasse pas mal. Le grand avocat

dont je vous ai parlé a été sauvé précisément par ce système, mais en tombant sur le sol il s'est fait trois bosses à la tête, ce qui peut se guérir en une douzaine de jours, sauf complications.

L'avocat Prosperi écouta patiemment le récit, voulut aller en personne jeter un coup d'œil sur Jip qui, de son écran, lui fit un petit bonjour embarrassé. Alors l'avocat dit qu'il aiderait bien volontiers son voisin, mais après les informations :

– Vous comprenez, c'est la seule émission qui m'intéresse.

Malheureusement, après les informations, les enfants de l'avocat se refusèrent comme de beaux diables à lâcher leur poste parce qu'ils voulaient voir les publicités. Il n'y eut pas moyen de les décider.

Le pauvre Jip dut lui aussi subir ces émissions dans sa position inconfortable. Il ne réussissait à se protéger d'un dentifrice qui giclait de son tube que pour tomber dans une cuvette de mousse de savon. Des nuages de talc entraient dans ses yeux et dans son nez, le faisant pleurer et tousser. Une peinture spéciale fit des raies bien spéciales sur son pull-over, ce qui fit pousser des cris à tante Emma tandis que Flip ricanait cruellement. Un nouveau type de stylo à bille lui dessina deux moustaches sous le nez. Il aurait au moins voulu attraper une portion de fromage, pour calmer sa faim, mais il ne fut pas assez agile et ne trouva entre ses doigts qu'une pommade poisseuse contre les rhumatismes.

Après les spots publicitaires, comme il l'avait promis, l'avocat Prosperi transporta son téléviseur dans l'appartement des Binda, tout en marmonnant entre ses dents :

— Juste au moment où il y a un match de boxe en Eurovision. Vous comprenez, c'est la seule émission qui m'intéresse.

Le nouveau téléviseur fut placé en face de celui où Jip était en train de nettoyer avec son mouchoir les marques que lui avait laissées sa malheureuse bataille contre la publicité. La tante Emma étendait par terre, l'une après l'autre, toutes les descentes de lit de la maison, pour que Jip tombe sans trop se faire de bosses. Et l'expérience commença.

— Attention, dit Monsieur Binda, quand je donnerai le signal, vous éteindrez les deux téléviseurs. Mais je vous en prie : au même instant précis ! Puis, tourné vers son fils, il ajouta :

– Jip, fixe le plus intensément que tu peux le téléviseur de l'avocat.

Jip obéit. Presque aussitôt il sentit de nouveau l'étrange démangeaison qui avait été à l'origine de son aventure. Le voilà qui se balance déjà comme une fusée au moment de son départ, le voilà qui jaillit hors de l'écran, et traverse la pièce à une vitesse ultrasonique.

Malheureusement, fasciné par ce spectacle, Monsieur Binda oublia de donner le signal. Jip tomba comme une flèche dans le téléviseur de l'avocat et... disparut.

– Jip ! Jip ! Où es-tu ? Tu nous entends, Jip ?

Sur les écrans des deux téléviseurs un boxeur anglais et un boxeur italien échangeaient des coups de poing sans se ménager. Mais, pas même l'ombre de Jip.

– Vite, regardons sur la deuxième chaîne !

Rien sur la deuxième chaîne du téléviseur Binda, rien sur la deuxième chaîne du téléviseur Prosperi.

– Et maintenant, que faire ?

A ce moment la sonnette retentit à la porte d'entrée. C'était l'électricien, frais comme une rose.

– Vous m'avez appelé ? Qu'y a-t-il pour votre service ?

On le sait : les électriciens sont bien connus pour arriver en retard.

Un cas de cannibalisme ?

Le professeur Lundquist, directeur de la clinique Lundquist
de Stockholm était en train
d'examiner un patient avec un appareil d'invention récente. Le patient
s'appelait Skoglund, il était commerçant en bois, et craignait d'avoir un
ulcère à l'estomac. L'appareil utilisé
par le professeur Lundquist consistait
essentiellement en un mince tube
destiné à être introduit dans l'œsophage de Monsieur Skoglund, et cela
n'était encore rien car les professeurs

sont capables de vous introduire n'importe quoi dans l'œsophage, y compris une cuillerée d'huile de ricin. Mais il faut savoir qu'à l'extrémité de ce tube, il y avait une minuscule télécaméra, guère plus grande qu'une épingle ; à l'intérieur du tube couraient des fils ; et, à l'autre extrémité des fils, à l'extérieur, il y avait tout simplement un téléviseur, l'écran allumé.

– Tout est prêt ? demande le professeur Lundquist à son assistant et aux deux infirmières.

Trois magnifiques *oui* en suédois lui répondirent.

Monsieur Skoglund fit *oui* lui aussi, mais il aurait pu fort bien s'en passer : sur la table d'opération, l'avis du patient ne compte pas.

– Allons-y, dit le professeur Lundquist. Il fit descendre le tube dans la gorge du commerçant en bois, appuya sur quelques boutons çà et là, retint un éternuement qui n'était pas dans le programme, et voici que sur le téléviseur apparut l'intérieur de l'estomac de monsieur Skoglund, considérablement agrandi.

– *Oh !* firent les infirmières (en suédois, bien sûr ; mais elles auraient dit *Oh !* même en italien et en chinois : *Oh !* est un mot universel).

— Monsieur Skoglund, vous pouvez être rassuré ; vous pouvez même penser au prix de vos peupliers et de vos bouleaux, et réfléchir sur les impôts que vous devez payer. L'exploration de votre estomac au moyen de l'épingle de télévision ne durera pas plus de dix minutes. A présent, nous voici pour ainsi dire dans votre honorable laboratoire digestif. Mademoiselle, voulez-vous augmenter un peu la luminosité de l'écran de télévision, car l'éclairage intérieur de Monsieur Skoglund laisse plutôt à désirer. Voilà, comme ça c'est bien. Donc, regardons.

Quatre paires d'yeux fixèrent l'écran et huit paires de paupières eurent un même battement.

— Par Jupiter, que vois-je ? dit l'assistant.

Les deux infirmières se contentèrent de faire : *Oh !*

Mais le professeur Lundquist, lui, explosa en un cri d'horreur :

— Mais c'est du cannibalisme !

Sur l'écran de télévision, assis, semblait-il, au beau milieu de l'estomac de monsieur Skoglund, Jean-Pierre

Binda, dit Jip, mettait le doigt dans son nez pour passer le temps. S'apercevant qu'on l'observait, il se leva bien poliment et fit un petit salut.

— Monsieur Skoglund, cria le professeur Lundquist, vous m'avez caché la véritable raison de vos troubles ! Mais vous pensiez sérieusement que vous pourriez digérer l'enfant sans que cela laisse des traces ? Voici ici même la preuve de votre crime. Quelle honte ! Vous n'êtes pas un ulcéreux, monsieur, vous êtes un anthropophage.

Monsieur Skoglund, avec une télécaméra dans l'estomac, n'était certainement pas en mesure de se défendre. D'ailleurs, comme il ne pouvait voir l'écran du téléviseur, il ne comprenait pas le sens de ces terribles reproches.

— Oui, de l'anthropophagie ! continuait de répéter le professeur Lundquist. En plein vingtième siècle, alors que les peuples du tiers monde conquièrent leur indépendance et leur dignité, les commerçants en bois s'abandonnent à des repas cannibalesques !

— Professeur, balbutia une des infirmières, on dirait que l'enfant...

Regardez, n'est-il pas en train de nous faire des signes ? Peut-être est-il encore vivant ?

– Pauvre petit, il est sans souliers, observa l'autre infirmière.

– Heureusement que vous lui avez laissé ses chaussettes, commenta l'assistant, en regardant d'un air sévère Monsieur Skoglund.

Le professeur Lundquist demanda un peu de silence, et étudia Jip de la tête aux pieds, et même jusqu'aux chaussettes.

– Comment te sens-tu ? lui demanda-t-il ensuite.

– *Quik prik quak maramak,* fut la réponse.

– Étrange langue, dit le professeur Lundquist.

(Explication : en réalité Jip avait répondu, en italien : Je ne comprends rien ; *mais le professeur, qui ne comprenait pas un mot d'italien, n'avait perçu que des sons bizarres. Inversement, si nous nous plaçons du point de vue de Jip, qui ne comprenait pas un mot de suédois, nous devrions récrire la scène précédente. Car lui, lorsque le professeur, l'assistant et les infirmières parlaient, n'entendait que :* Quik prik quak

maramak pepericok, *et pensait :*
« Étrange langue ».)

Par chance, une des infirmières comprenait l'italien, parce qu'elle avait passé ses vacances sur une plage de l'Adriatique. Elle put ainsi servir d'interprète.

– Comment te sens-tu ? demanda le professeur Lundquist.

– Très bien, merci.

– Est-ce qu'il t'a fait très mal ?

– Qui ?

– Diable, Monsieur Skoglund.

– Vraiment, je ne le connais pas.

– Et alors, que fais-tu dans son estomac ? Moi, à ton âge, je n'allais pas me promener dans les estomacs des inconnus, surtout des étrangers.

– Monsieur le Professeur, je vous jure que je suis innocent.

– Celui-là est innocent, Monsieur Skoglund est innocent, tout le monde est innocent. Alors qui est le coupable ? Moi ? Le roi de Suède ? Les gardes à cheval ?

– Voyez-vous, moi...

– Suffit. Reste où tu es et ne bouge pas. Nous verrons après ce qu'on peut faire pour toi.

Toujours parlant entre ses dents, le professeur retira avec précaution l'épingle-caméra de l'estomac de Monsieur Skoglund, qui put enfin demander :

– C'est vraiment grave ?

– Très grave.

– Il faudra que je rentre aujourd'hui même en clinique pour l'opération, je suppose.

– Peut-être en clinique, peut-être au bagne. On ne peut pas manger un jeune garçon d'environ huit ans, tout habillé, aller chez le chirurgien pour se le faire enlever, comme une simple épine du pied, et puis s'en retourner bien tranquillement vendre du bois en gros et au détail.

– Mais de quel garçon s'agit-il, s'il vous plaît ?

– Celui-ci, dit d'un ton sévère le professeur Lundquist, en pointant son index sur la poitrine de Monsieur Skoglund.

– Mais je suis ici, s'écria Jip, je suis toujours ici.

Le professeur, l'assistant, les infirmières et Monsieur Skoglund se tournèrent vers le téléviseur et virent Jip qui s'agitait comme un enragé dans le rectangle lumineux de l'écran.

– Alors tu n'étais pas dans l'estomac de ce monsieur, reconnut le professeur Lundquist, alors tu n'es qu'une simple interférence.

– Je m'appelle Jean-Pierre Binda et je suis tombé dans mon téléviseur à Milan.

– Mais ce téléviseur est à moi ! hurla le professeur Lundquist, et ici nous sommes à Stockholm. Tu n'as aucun droit de venir troubler mes expériences. C'est là du sabotage. Peut-être même de l'espionnage.

Qui sait quelle autre terrible accusation allait s'abattre sur la tête dépeignée de Jip. Mais à ce moment-là il y eut une panne de courant, ce qui eut pour résultat que le téléviseur s'éteignit. Quand le courant revint, l'écran était blanc comme un champ de neige. Il ne restait pas même l'ombre de Jip, pas même une tache, pas une ligne, verticale ou horizontale.

Monsieur Skoglund renonça à comprendre pourquoi le professeur Lundquist l'avait traité de cannibale, et s'en alla en secouant la tête. Quant au professeur Lundquist, il était si furieux, qu'il oublia même de lui faire payer le montant de la consultation.

Une chasse au voleur

Dans le souterrain d'un vieux château allemand sur les bords du Rhin, deux messieurs distingués jouaient aux échecs, tout en jetant de temps à autre un coup d'œil sur l'écran d'un téléviseur où tremblait l'image d'un portemanteau chargé de pardessus.

L'image ne changeait jamais, comme celle des interludes entre les émissions. Mais depuis quand, dans ces interludes, au lieu de paysages, s'est-on mis à montrer des portemanteaux ?

Arrivés à ce point de notre récit, il serait de notre devoir de vous avertir que :

1. Ces deux messieurs ne sont rien de moins que le docteur professeur Silvius Leopold Linkenbein[1], directeur de la bibliothèque de Barmstadt (à moins que ce soit Darmstadt ?), et l'inspecteur Georges Wilhelm Frederic Rechtenbein[1], chef de la police de la ville, deux dignes personnages qui, en général aiment moins la télévision que la mauvaise bière.

2. Dans le vieux château est située la bibliothèque dont Linkenbein est l'éminent directeur.

3. Ce que l'on voit sur l'écran du téléviseur est l'antichambre de la bibliothèque, avec son portemanteau.

4. Dans cet antichambre, dans le cadre d'un tableau, est cachée une petite télécaméra qui filme tout ce qu'elle voit et expédie ses images dans la cave, à destination de Linkenbein et de Rechtenbein.

5. L'ingénieux système de surveillance a été installé pour découvrir...

Mais en attendant, sur l'écran, est entré par la droite un jeune homme. Il enlève son pardessus et le suspend

1. *En allemand : jambe gauche et jambe droite.*

à côté des autres, puis il sort par la gauche.

— Rien encore, dit le docteur professeur Linkenbein.

— Encore rien, approuve l'inspecteur Rechtenbein, intervertissant l'ordre des termes. Le total ne change pas.

La partie d'échecs reprend. Un rat montre le bout du museau derrière une pile de vieux bouquins, mais personne ne daigne lui accorder la moindre attention. Le rat se retire, vexé.

Voici maintenant deux aimables demoiselles qui apparaissent sur la droite de l'écran, s'arrêtent devant le portemanteau, en décrochent deux petits manteaux de fourrure couci-couça, mais certainement pas de vison, et s'éloignent sur la gauche. Le professeur Linkenbein et l'inspecteur Rechtenbein n'ont pas perdu un seul de leurs mouvements. Les jeunes filles disparues de l'écran, le professeur Linkenbein fit :

— Charmantes.

— Gracieuses, reprend l'inspecteur Rechtenbein, mais elles ne concernent en rien notre affaire.

– Non certainement elles ne la concernent pas, conclut le professeur Linkenbein en déplaçant un pion sans beaucoup de conviction.

Mais voilà qu'à ce moment-là Jip fait son apparition sur l'écran de télévision, obligeant les deux joueurs d'échecs à suspendre leurs opérations.

– Tiens, dit Linkenbein, un petit garçon.

– Intéressant, admit Rechtenbein. Vous voyez ? Il a enlevé ses souliers. Dans quel but, d'après vous, cher professeur ?

– L'indice est des plus sérieux, approuva Linkenbein. Peut-être sommes-nous sur le point de mettre la main sur le petit voleur qui, chaque soir depuis quinze jours, vide les poches des autres pardessus, et s'éloigne, sans être inquiété, de notre célèbre bibliothèque, gloire séculaire de notre ville et...

– Bonsoir, dit Jip, en italien.

Le professeur Linkenbein et l'inspecteur Rechtenbein se regardèrent dans les yeux.

– Je remarque avec plaisir que vous savez parler italien, dit le premier au second.

– Je vous rends le compliment, répondit le second au premier, car je peux vous assurer que je n'ai pas ouvert la bouche.

– Moi non plus.

– Excusez-moi de vous déranger, dit Jip, de l'écran ; pourriez-vous m'expliquer où je suis tombé ? Je m'appelle Jean-Pierre Binda et j'habite Milan, au 175 de la rue Settembrini, bâtiment 14.

Les deux joueurs d'échecs distingués se levèrent en même temps de leurs sièges et s'approchèrent du téléviseur.

– Ne bouge pas d'où tu es, commanda brusquement Rechtenbein à Jip. Il appuya sur le bouton d'une sonnette, et sur l'écran on vit apparaître deux policiers en uniforme qui bondirent hors de la pièce où ils se tenaient cachés, persuadés qu'ils allaient se jeter sur le voleur et lui passer les menottes. Ils regardèrent autour d'eux ; ils regardèrent en haut, en bas, et jusque derrière les pardessus ; puis ils regardèrent leurs nez respectifs, étonnés.

– Espèces d'ânes ! criait l'inspecteur en tapant du pied. Anes bâtés, à huit paires d'oreilles chacun ! Mais il est là, sous vos yeux. Regardez devant vos protubérances nasales : le voleur est là, et il ne se cache même pas. Voleur ! ajouta-t-il en se tournant directement vers Jip.

– Attention, vous faires erreur, dit Jip.

– Tu ne peux pas nier. Nous t'avons pris sur le fait. Seuls les voleurs enlèvent leurs souliers pour ne pas faire de bruit.

– Mais moi je les ai enlevés pour ne pas salir le fauteuil et être plus à l'aise. Et je ne suis pas venu ici de ma propre volonté : je suis prisonnier...

– Ah, fort bien, tu le reconnais : tu es notre prisonnier. C'est un premier pas.

Cependant les deux policiers, qui ne voyaient personne et qui, d'ailleurs, n'avaient pu entendre les insultes de leur supérieur, se retiraient en murmurant dans leur dialecte des expressions de désappointement qu'il vaut mieux ne pas rapporter.

L'inspecteur Rechtenbein reprit :

– Dis-nous immédiatement qui t'a poussé à voler, et où tu as caché le butin. Et tu peux être sûr que tes parents paieront aussi les frais de

l'installation spéciale de télévision que nous avons dû mettre en place pour te prendre la main dans le sac.

En entendant parler de ses parents, Jip fut ému et commença à pleurer.

– Il pleure ! s'écria, triomphant, Rechtenbein. Voilà l'aveu.

Mais le docteur professeur Linkenbein n'était pas de cet avis :

– Un moment, excellent et très respectable inspecteur. Le voleur ne peut être qu'un des clients habituels de la bibliothèque, n'est-ce pas ? Et je suis sûr, tout à fait sûr, de n'avoir jamais vu jusqu'ici ce gamin. De plus, étant moi-même père et grand-père, je connais les enfants : je ne peux m'expliquer clairement l'absence de souliers, mais le visage, cher monsieur, le visage ne me paraît pas être celui d'un voleur.

Il se tourna vers Jip :

– Où es-tu exactement ?

– C'est ce que je voudrais bien savoir. D'après moi, je dois me trouver plutôt dans un téléviseur.

– Tu n'es pas dans l'antichambre ? Tu ne vois pas de manteaux ?

– Oui, je les vois, mais ce sont des manteaux de télévision. Je ne sais si je m'explique bien : ils ne sont rien que des images. Moi, je suis dans l'écran, vous comprenez ?

— Voilà, conclut Linkenbein en se tournant ves Rechtenbein. Le garçon est pur comme de l'eau de source. Il doit s'agir de quelque mauvais contact. Quelque fil qui n'est pas à sa place...

Le docteur professeur Silvius Leopold Linkenbein allait sans doute ajouter d'autres explications, mais il dut s'interrompre. Sur l'écran venait d'apparaître un digne vieillard aux cheveux gris qui, après avoir mis son pardessus et son chapeau regarda autour de lui à plusieurs reprises d'un air circonspect, puis se mit à inspecter rapidement les poches des autres pardessus, en transvasant leur contenu dans ses propres poches, chaque fois qu'il le jugeait intéressant.

Cette fois-ci l'inspecteur ne perdit pas de temps à parler. Il appuya sur la sonnerie. Les policiers sortirent de leur cachette. Le voleur tenta de s'esquiver mais il fut immobilisé en moins de deux, en cinq sec, et même en six (excusez cette énumération un peu longue, mais il y eut un peu de bagarre et de résistance à la force publique).

Finalement, sur l'écran, avec les manteaux indifférents à tout ce drame, il ne resta plus que le petit Jip ; et, devant le téléviseur, le professeur Linkenbein et l'inspecteur Rechtenbein grattaient leurs crânes respectifs, fort embarrassés.

— Ainsi, tu es de Milan, commenta Linkenbein, une belle ville : le Dôme, le panettone, la Cène de Léonard de Vinci. Je connais, je connais.

— Mais vous ne connaissez pas mon père, s'écria Jip. Vous êtes capable de croire tante Emma, qui soutient que je me suis enfui de la maison parce que j'avais peur de montrer à papa mon carnet scolaire. Vous savez, j'ai une sale note en maths.

— En maths ? Mais c'est terrible. Au vingtième siècle, quand même les machines savent compter ! Qu'est-ce qui te rend difficile cette matière passionnante ? Les divisions, je suppose.

— Non, dit Jip, ce serait plutôt les équivalences. Voilà, voyez-vous, il m'arrive de confondre l'hectolitre et l'hectomètre. Je ne me souviens jamais avec lequel des deux on doit mesurer combien de vin a acheté l'aubergiste, et avec lequel il faut

mesurer la route qui va de Bari à
Barletta.

— Effrayant, effrayant, murmurait le
professeur Linkenbein en italien. Et il
ajoutait en allemand : « *Schreck-
klich ! »,* ce qui veut dire la même
chose.

Rechtenbein admit que la chose
était déplorable ; mais lui aussi était
affligé d'un fils plutôt faible en système métrique décimal et il fit observer qu'au fond il est sot d'obliger des
enfants à compter à la place de l'aubergiste. Pour finir, Linkenbein et
Rechtenbein, oubliant de fêter la solu-
tion de leur problème policier, se
mirent à expliquer à Jip les mesures
de capacité et les mesures de longueur, en écrivant les équivalences
sur le carnet de l'inspecteur. A un
certain point, où il fallait transformer
des décimètres en décamètres, ils en
vinrent à se quereller entre eux, ne se
souvenant plus du tout de Jip.

Quand la discussion fut terminée
sur un accord de compromis, Rechtenbein et Linkenbein levèrent les
yeux sur le téléviseur et restèrent de
pierre (mesurable en quintaux) : Jip
avait disparu.

Les Saturniens parlent-ils italien ?

Au cours des vingt-quatre heures qui suivirent, les apparitions de Jip se multiplièrent aux points les plus éloignés du globe. Son image rebondissait d'un circuit à l'autre, du réseau d'un pays à un autre, sans arrêt, comme une boule de billard qui s'élance d'une bande à l'autre sans parvenir à tomber dans le trou qu'il faut.

A sept heures du matin, au large de Marseille, des opérateurs, des scaphandriers et des hommes-grenouilles italiens et français, transportés sur place par la corvette *Merendina,* descendaient au fond de la mer, munis de télécaméras spéciales, pour filmer un reportage extraordinaire sur l'épave d'un navire romain, coulé à l'époque de Trajan avec un chargement de vin et d'huile, et découverte par hasard par un pêcheur sous-marin.

Du pont de commandement, les techniciens des télévisions italienne et française suivaient l'opération sur un téléviseur en se montrant joyeusement un gros mérou en fuite, ou un poisson-marteau qui venait de s'arrêter devant la caméra, et semblait sur le point de faire *bonjour, bonjour* avec sa petite nageoire, comme le font avec la main les personnalités les plus sérieuses quand elles savent que leur crâne chauve apparaîtra à la télévision.

Voici la vieille carcasse. Pendant près de deux mille ans les eaux l'avaient gardée et bercée doucement, là au fond, à l'abri de la curiosité des générations futures. Et voici les scaphandriers, lents et empruntés dans leurs scaphandres lunaires, qui pénètrent par une large trouée dans la cale mystérieuse. Y sont alignées des centaines d'amphores pour lesquelles, rester là ou se trouver dans la cave de l'empereur, cela revient au même. Soudain le visage de Jip, légèrement déformé par le mouvement de l'eau, s'encadre dans l'écran. A bord de la *Merendina* les commentaires fusent aussitôt comme des pétards :

– Regardez, un noyé !

– C'est un jeune garçon.

– Mais d'habitude les noyés ne sont pas si joyeux.

– C'est peut-être le fils d'une sirène.

– Non, il aurait une queue de poisson à la place des chaussettes.

Tout d'un coup Jip disparut comme il était apparu. Et les scaphandriers, plus tard, quand ils refirent surface, jurèrent que sous l'eau ils n'avaient vu que des poissons et de vieilles poteries incrustées de coquillages et d'images de l'histoire romaine.

A huit heures, en Égypte, le mouvement du canal de Suez était des plus intenses. Des bateaux de tous types parcouraient dans les deux sens le boyau étroit qui relie, comme le montrent les cartes de géographie, la Méditerranée et la mer Rouge. Ces bateaux obéissaient aux instructions qui leur étaient données à partir de la cabine située à l'entrée du canal. De cette unique cabine le canal était surveillé dans toute sa longueur grâce à de nombreuses caméras de télévision échelonnées sur ses rives.

Peu après huit heures, le chef-pilote Ahmed, contrôlant son écran, crut remarquer un étrange phénomène. Un petit garçon à l'air curieux et furtif, qu'il avait vu un instant auparavant flâner à bord du vapeur grec *Énossis,* réapparut inexplicablement sur le pont du pétrolier hollandais *Spinoza,* d'où il passa, sans difficultés apparentes, sur une péniche chargée de bœufs.

« Ce n'est pas possible, se dit Ahmed en frottant ses yeux. Il ne peut absolument pas sauter d'un navire sur un autre comme un pirate. Ce n'est pas permis. »

L'image de Jip resta sur l'écran le temps de danser entre les voiles d'un yacht de très grand luxe appartenant à un émir arabe, puis disparut. Ahmed téléphona au bar pour commander un café très fort. « Je n'ai pas beaucoup dormi cette nuit : je suis en train de rêver les yeux ouverts », avait conclu le pilote égyptien.

En Yougoslavie, un garde-forestier assis sur un fauteuil dans sa cabane, devant une cheminée et un téléviseur, tous deux allumés, fumait tranquillement sa pipe. Il était chargé de surveiller une large zone de forêt, pour donner l'alerte au moindre indice d'incendie. Mais, d'abord, il est bien rare que les forêts prennent feu en janvier. En second lieu, pourquoi aurait-il abandonné sa cabane, du moment qu'une installation spéciale lui permettait d'inspecter ses forêts grâce à la télévision, sans même enlever sa pipe de la bouche ?

Mais quand, pendant au moins deux minutes, il se vit à son tour surveillé et scruté par Jip, la surprise l'obligea à ôter la pipe de sa bouche et à avaler la fumée de travers. Le brave homme ne pensa pas qu'il s'agissait de quelque lutin des bois, parce que depuis longtemps il ne croyait plus aux contes de fées. Mais il éprouva le besoin d'avaler une solide lampée d'eau-de-vie de prunes. Après quoi, l'image de Jip disparut de son écran sans même le saluer.

Jip fut entrevu au milieu des flammes d'un haut fourneau, dans la plus profonde galerie d'une mine, dans les couloirs d'une prison, et même dans le coffre-fort d'une banque. En sautant de certains circuits spéciaux dans les réseaux normaux de télévision, il apporta le trouble dans une comédie de la télé russe, dans un concert de la télé danoise, dans une revue de celle du Canada. En Amérique, il dansa sur une table autour de laquelle cinq experts discutaient des impôts ; en Chine, il participa à une exhibition d'acrobates.

A la tombée de la nuit, les astronomes de l'observatoire de Jodrell Bank, en Angleterre, pointèrent leur radio-télescope sur Saturne, et allumèrent leur écran de télévision sur lequel ils pourraient voir, considérablement agrandie et éclairée, notre étrange planète et ses anneaux. Et qui virent-ils se promener sur les dix anneaux, sinon Jean-Pierre Binda, dit Jip ? Pendant un moment, ils crurent vraiment qu'ils venaient de découvrir la première créature extra-terrestre qui se soit jamais montrée à un œil humain. Puis Jip dit :

— Ciao !

– En voilà une bien bonne, s'écria le docteur Morgan, un Saturnien qui parle italien !

Et déjà il préparait sur le bout de sa langue une belle phrase dans la langue de Dante, quand Jip disparut. Le docteur Morgan soupira :

– Ce doit être un tour que nous joue, comme d'habitude, le docteur Pointer.

Pour ne pas lui laisser le dernier mot, il souleva le récepteur du téléphone, appela le docteur Pointer et lui dit qu'il était invité à dîner par l'amiral Nelson. La tenue de soirée était obligatoire, ainsi que les moustaches.

Un enfant vaut trois lunes

Chez les Binda, un quart d'heure après la disparition de Jip, étaient arrivés en même temps un fonctionnaire de la télévision et un commissaire de police pour faire les premières enquêtes sur ce cas insolite. Ils avaient trouvé Madame Binda en larmes, Flip endormi sur une chaise, la tante Emma avec une montagne de descentes de lit sur les bras, et Monsieur Binda aux prises avec l'avocat Prosperi qui prétendait ramener son téléviseur chez lui.

— Mais vous ne comprenez pas, suppliait le comptable, que Jip peut revenir d'un moment à l'autre, et nous ne savons pas sur lequel des deux postes ?

— S'il réapparaît sur le mien, je vous avertis aussitôt, assurait l'avocat, mais je considère la chose comme hautement improbable. Votre Jip, pour ce soir, n'est pas prévu au programme. Vous avez lu le Journal Radio ? Après l'Eurovision il y a un débat sur l'utilisation du persil dans la soupe, c'est le seul genre d'émission qui m'intéresse : je l'écouterai en prenant des notes.

— Vous pouvez le faire aussi bien ici : tenez, ce fauteuil me paraît très commode.

— Non, Monsieur. J'en ai chez moi un beaucoup plus commode, tout en cuir noir. Et j'ai même un tabouret pour appuyer mes pieds. Et puis, voyez-vous, à une certaine heure (je ne sais pas si cela vous arrive), j'irai au lit.

— Bien sûr, et même vous éteindrez votre téléviseur.

— Bien sûr.

– Et moi, je dis non. Les deux chaînes doivent rester ouvertes pour Jip.

– Toute la nuit ?

– Si c'est nécessaire, oui. Nous organiserons des tours de garde.

– Très bien ! Pour votre tube cathodique ce sera une excellente affaire. Non, non, rien à faire : mon poste rentre à la maison avec moi séance tenante.

Le commissaire de police intervint sur un ton bonhomme pour donner raison au comptable Binda et l'avocat Prosperi dut battre en retraite avec ses troupes ; mais avant de partir il fit inscrire au procès-verbal une énergique protestation.

L'enquête commença donc ; mais elle se termina aussitôt, car ni le commissaire, ni le fonctionnaire de la télévision ne savaient par quel bout commencer. D'après eux le problème était *absolument nouveau, extraordinaire*, et même en partie *incompréhensible*.

– Mais il y a déjà eu un cas d'attraction par la télévision, insistait le comptable Binda ; je l'ai lu dans un article d'un certain Rodari. A cette occasion les médecins ont même donné un nom à cette maladie. Si je me souviens bien, ils l'ont appelée la *télévisionite*.

– Des inventions, mon cher. Des inventions de la presse, des exagérations. Parfois les journalistes, pour se mettre en valeur, ne mesurent pas leurs mots.

Le commissaire confirma cet important jugement du fonctionnaire en rapportant le cas d'un journaliste qui avait décrit par le détail le vol de la tour penchée de Pise.

– Vous comprenez ! Il a inventé qu'elle avait été emportée, morceau par morceau, par une bande spécialisée dans le vol des monuments historiques. Il fut facile de montrer que la nouvelle était fausse et tendancieuse, en présentant au public une simple carte postale illustrée, d'où il résultait que la tour de Pise était toujours à sa place. Mais en attendant le bruit s'était répandu et personne n'épargnait la police dans ses critiques.

Le récit du commissaire dura assez longtemps pour que tante Emma ait le temps de répartir les descentes de lit dans les différentes chambres. Elle jeta un coup d'œil autour d'elle et prit le commandement des opérations :

elle ordonna à Madame Binda de porter Flip au lit, obligea le comptable à se mettre une bouillote d'eau chaude sur l'estomac pour faire passer sa frayeur, et força ses hôtes à avaler une liqueur de sa fabrication. Puis, papier et crayon en main, elle organisa les tours de garde pour la nuit.

L'Eurovision se termina, puis le débat sur le persil, une belle speakerine souhaita à tout le monde une bonne nuit, mais Jip ne réapparut pas.

Par contre, le lendemain matin, on vit apparaître les journaux, portés dans les bras de la concierge attentionnée. Les premières pages étaient noires de titres effrayants :

Jip, reviens
sur ton antenne !

L'écran rendra-t-il sa proie ?

Un enfant de 8 ans
avalé par son téléviseur

Crime atroce sur la 1re chaîne

Une bande de télévoleurs
terrorise la ville

Les articles étaient encore moins encourageants que les titres. L'événement y était raconté de cent façons diverses. Jip y était décrit tantôt comme « *un poupon blond à l'air angélique* », tantôt comme « *un garnement qui ne laissait pas en paix les sonnettes des portes voisines* ». Un journal insinuait que l'avocat Prosperi devait savoir quelque chose : après tout, le téléviseur du crime était à lui. D'après un autre journal la chute dans le téléviseur n'était qu'une invention de la police : en réalité Jip avait été enlevé par des êtres ultra-terrestres, probablement des martiens, extrêmement dangereux parce qu'invisibles.

– *Invisibles !* grommela Mademoiselle Emma en jetant les journaux dans la poubelle. Je voudrais que tous les journalistes deviennent vraiment *invisibles*.

Les journaux du soir publièrent eux aussi de sensationnelles informations sur Jip. Mais il n'était que trop évident qu'il s'agissait de « fausses nouvelles » : il n'y avait pas deux journaux qui disaient la même chose. L'un affirmait qu'on avait vu Jip en Suède, l'autre qu'il avait été découvert en Hollande,

un troisième parlait même du canal de Suez.

— Je leur en donnerai, moi, du canal de Suez, à tous ces gens, criait Mademoiselle Emma. Les journalistes, il faudrait les interdire !

Après une seconde nuit de veille, quand la concierge revint frapper avec les journaux du matin, Mademoiselle Emma fit le geste de lui claquer la porte au nez.

— En voilà assez avec cette camelote, cria-t-elle. Aucun papier imprimé n'entrera plus dans cette maison, pas même celui dans lequel la marchande de légumes enveloppe ses haricots.

— Attendez, attendez. Mais vous ne savez pas la nouvelle ?

— Allons donc. Allez vous-en !

— C'est ici, tout est marqué dans ce journal. Ils sont en train de chercher Jip avec ces *trucs*, ces machins, comment on les appelle...

— Comment on appelle qui ?

— Chère amie, ne me le faites pas dire, c'est trop difficile. Ces machins comme des feux d'artifices, mais avec cette différence que ce n'est pas des feux. Lisez donc. Qu'est-ce que cela vous coûte ? Tout est expliqué, il y a bon espoir.

La tante Emma saisit le paquet de journaux comme s'il lui brûlait les doigts et le porta à Monsieur Binda, qui finissait son tour de garde devant le téléviseur avant d'aller à son bureau.

Même Flip s'empara d'un journal : il ne savait reconnaître que les voyelles, et à condition qu'elles soient en majuscules.

– GLOUP ! Il y a un I ici, cria-t-il, tout excité, il y a un I.

En somme, voilà ce qui s'était passé :

Un jeune savant japonais, le professeur Yamanaka, après réflexion sur le cas, était parvenu à cette extraordinaire conclusion que Jip, en tombant dans le téléviseur, était devenu une onde électromagnétique, et que, sous cette forme, il voyageait dans l'espace à la vitesse de la lumière, accomplissant en une seconde sept fois le tour de la Terre : ce qui est bien autre chose que Gagarine, Titov, Glenn et Carpenter.

L'onde-Jip était captée de temps en temps par un réseau de télévision, ou par un circuit spécial, ou par un téléviseur particulier, dans les coins les plus divers du globe.

Et comment se fait-il, honorable professeur Yamanaka, que l'onde-Jip était allée se fourrer tout d'abord dans l'épingle-télécaméra du professeur Lundquist ?

Probablement parce que ce soir-là, après la fin de toutes les émissions européennes, seul était resté allumé ce téléviseur-là (ce qui est tout à fait vrai, car le professeur Lundquist aimait opérer de nuit).

– La très-honorable onde-Jip, avait ajouté en souriant le professeur Yamanaka, a ainsi pu faire connaissance avec de nombreuses utilisations de la télévision que le très-respectable public ignore généralement.

Était-il possible d'arrêter l'onde-Jip, pour tenter d'une façon ou d'une autre de faire revenir sur Terre le petit Jip ?

Oui, chers messieurs, oui, très aimables dames, cela était possible. Il fallait pour cela opérer une liaison de toutes les stations émettrices de télévision du monde et établir un programme unique. Dans ce cas, l'onde-Jip serait forcée d'apparaître. Puis les choses pourraient s'enchaîner...

Quoi, un programme unique pour tous les téléviseurs du monde ?

Oui chers messieurs, oui très aimables dames. Pour cela, naturellement, comme tous les savants le savent depuis longtemps il fallait lancer trois satellites artificiels.

Comment ? *Trois lunes pour un enfant ?*

Oui chers messieurs, oui très aimables dames : trois lunes, trois. Un enfant ne vaut-il pas plus que trois lunes, que trois cents lunes, que trois mille millions de missiles spatiaux ?

Garibaldi, Galilée et Jip

Ce même jour, à treize heures moins cinq secondes, heure de Rome, dans une base de lancement située en Sardaigne, le premier satellite italien de l'histoire attendait d'être lancé dans le ciel et placé sur orbite. Le *Garibaldi Premier* avait été préparé pour une tout autre expérience, mais le gouvernement n'avait pas hésité à le destiner à ce que les journaux appelaient *l'Opération Jip*. Et maintenant, dans le poste de commandement de la base, le doigt sur le bouton de mise à feu, le professeur Nocera écoutait la voix qui scandait dans le haut-parleur les derniers instants du « compte à rebours ».

CINQUE... QUATTRO... TRE... DUE...[1]

A Moscou, il était quinze heures moins cinq secondes. Sur une base de lancement proche de la capitale, un *spoutnik*, installé au sommet de sa fusée, était prêt au départ. Le gouvernement de l'URSS[2] en l'offrant pour l'*Opération Jip*, l'avait baptisé *Galilée*. Le doigt sur le bouton de la mise à feu appartenait au professeur Maxime Petrov. Les chiffres sortaient du haut-parleur en russe :

PIAT... TCHETIRIÉ... TRI... DVA...[1]

En Amérique, sur la base de Cap Kennedy, la pendule ne marquait que six heures du matin moins cinq secondes, le professeur s'appelait Brown, le satellite offert par le gouvernement des États-Unis portait le nom joyeux et de bon augure de JIP, et les chiffres qui sortaient du haut-parleur étaient en américain mais ils

1. *Cinq... quatre... trois... deux...*
2. *L'URSS s'appelle aujourd'hui CEI (Communauté des États Indépendants) qui comprend notamment la Russie.*

avaient eux aussi un air amical et presque de fête :

FIVE... FOUR... THREE... TWO...[1]

Au signal de contact, *Garibaldi Premier, Galilée* et *Jip* jaillirent vers le cosmos pour atteindre, à une juste distance l'un de l'autre, la même orbite.

Un milliard d'hommes au moins – et beaucoup d'entre eux avaient dû se lever en pleine nuit, car vous savez bien que lorsqu'il fait jour à un endroit, il fait nuit de l'autre côté de la Terre – écoutèrent en des centaines et des centaines de langues diverses, devant leur téléviseur, les voix excitées des speakers qui décrivaient les différentes phases de l'*Opération Jip*.

– Attention, attention ! Vous allez assister à une extraordinaire expérience d'*Astrovision*. Toutes les stations de télévision du monde sont reliées entre elles. Dans quelques instants sera mise en ondes l'image de Charlot. Les stations relais installées sur les trois satellites artificiels renverront l'image sur la totalité de la surface terrestre, et vous la verrez apparaître au même instant sur vos téléviseurs de Rome, de Tokyo, de

New York, de Moscou, de l'Asie, de l'Afrique, de l'Australie...

Oui, tous les habitants de la Terre – tous ceux qui avaient un téléviseur et qui ne dormaient pas, bien entendu – virent au même instant l'image de Charlot avec ses célèbres petites moustaches qui sautaient comme deux grillons...

Mais aussitôt ils la virent disparaître et, à sa place... voici Jip, son visage curieux et étonné, son chandail un peu sale, ses culottes tyroliennes, ses chaussettes...

– Il a un trou à une chaussette ! cria tante Emma, plus fort que les bravos qui éclataient dans l'appartement des Binda, où s'étaient entassés tous les habitants de l'immeuble.

– GLOUP ! DEUX FOIS GLOUP ! CENT MILLE FOIS GLOUP ! criait Flip.

L'avocat Prosperi, de son côté, s'évertuait à faire remarquer aux gens présents :

– Dans mon téléviseur on voit Jip plus nettement, il est plus naturel, plus vivant.

– Attention, attention ! dit la voix du speaker : « Le professeur Nocera va maintenant tenter de parler avec Jean-Pierre Binda. »

La voix du savant était grave et pleine d'émotion :

– Jip, nous te voyons. Si tu peux nous entendre, réponds. *Ici la Terre appelle Jip, la Terre appelle Jip.*

Il y eut à peine un instant d'attente, puis :

– Je vous entends très bien, répondit Jip. Je vous entends mais je ne vous vois pas. Il y a un téléviseur ici mais je n'y vois que mon visage. Terminé.

– Mais tu n'es pas dans le téléviseur ?

– Ah, non ! Merci bien, ça suffit. J'en suis sorti, heureusement.

– Essaie de nous expliquer où tu te trouves.

– C'est assez difficile. Il y a une minute encore j'étais... je ne me souviens plus si c'est au Maroc ou en Finlande. Maintenant voyons un peu. Je me trouve dans une sorte de petite cabine. Il y a le téléviseur, je l'ai dit, un tas d'instruments et... GLOUP ! il y a un chat qui vole. Ou du moins qui flotte dans l'air comme s'il était attaché à un petit ballon. Oh, là là ! voilà que je flotte moi aussi, comme la fois où je suis tombé dans le téléviseur. Pourtant maintenant je ne tombe pas dedans. On dirait que j'ai appris à

nager dans le vide et à marcher au plafond...

— Jip, s'écria la voix du professeur Nocera, il y a un hublot à ta droite. Regarde au-dehors et dis-nous ce que tu vois.

— Oh là là ! Qu'est-ce que c'est que tout ça ? Si je ne me trompe, c'est la Terre... Voyez un peu comme elle tourne. En dessous de moi il y a des îles dans la mer, mais malheureusement leur nom n'est pas écrit dessus comme dans mon atlas. Quelles îles ça peut bien être ? Viens, minet, viens voir. A propos, minet, comment tu t'appelles ?

— Il s'appelle Garibaldi Premier, Jip ; comme le satellite artificiel dans lequel tu te trouves.

— Alors je suis devenu un enfant du cosmos ?

— Tu es le premier cosmonaute italien.

— Oh, c'est sans doute le chat qui est le premier. Il était déjà là quand je suis arrivé ici. A propos, comment j'y suis arrivé ?

— Ce sont les ondes électromagnétiques qui ont tout fait... Tu es tombé dans le téléviseur du satellite et de là tu es sorti, peut-être sous l'effet des rayons cosmiques.

– Ondes électromagnétiques, rayons cosmiques... Que voulez-vous qu'on y comprenne ? Il faudra que j'étudie encore tout ça, en plus des équivalences. Mais, en attendant, je peux dire bonjour à maman ? Elle peut me voir et m'entendre ?

– Toute la Terre te voit, Jip.

– Toute la Terre, c'est trop. Ciao maman, ciao papa, ciao tante Emma, ciao Flip, bonjour, Monsieur Prosperi.

– Ce brigand, fit l'avocat en rougissant et en regardant autour de lui, ému et fier ; comment a-t-il fait pour deviner que je suis là moi aussi ?

– J'espère pouvoir revenir bientôt, continua Jip. Et si une punition m'attend, je prends dès à présent pour défenseur l'avocat Prosperi. Ma fugue a été tout à fait involontaire.

– Voilà pourquoi il s'est souvenu de vous, fit observer malicieusement tante Emma à Monsieur Prosperi.

– Attention Jip, reprit le professeur Nocera. Bientôt nous allons faire rentrer le satellite dans l'atmosphère pour te récupérer. N'aie pas peur, tout ira très bien. La descente sera commandée de la Terre. Mais, avant que nous coupions le contact, tu peux dire bonjour aux télespectateurs. Tu as un public exceptionnel : Américains, Russes, Italiens, Anglais, Allemands, Français, Chinois, Africains... Allons, dis quelque chose.

Jip se gratta la tête et fit une vilaine grimace, puis il dit :

— Eh bien, bonjour et bonsoir. Je ne peux pas vous voir, mais je vous aime bien tous, vous êtes tous sympathiques. Maintenant je dois rentrer à ma base. Minet, salue, toi aussi. Terminé. A vous. Ciao.

Mais, pendant quelques minutes encore, avant que le contact avec l'engin soit coupé, des hommes blancs, noirs, jaunes, heureux et malheureux, continuèrent à observer avec tendresse l'image d'un petit garçon qui jouait avec un chat, là-haut sur les routes du ciel.

Des milliers de journalistes tapaient à la machine le début de leur article de fond :

Sur le visage souriant de Jip, écrivaient quatre-vingt-quinze pour cent des journalistes, *nous avons lu un souhait de paix et de joie pour notre vieille planète.*

Quant aux cinq journalistes qui manquaient pour faire cent pour cent, ils écrivaient la même phrase, mais au lieu du mot *souriant*, ils mettaient l'adjectif *joyeux*.

La maman des chats

L e 19 janvier à quinze heures
trente, bien rares étaient les
habitants de Rome qui n'étaient
pas restés collés à leur téléviseur ou à
leur poste de radio, chez eux ou au
café, pour attendre les nouvelles du
retour de Jip sur Terre. Parmi eux il
s'en trouvait très peu qui passaient
aux environs du Colisée. Et, parmi ce
très petit nombre, il y avait une petite
vieille qui portait un cabas à provi-
sions. Dans ce cabas se trouvait un

bon nombre de petits cornets de papiers pleins d'abats, de croûtes de fromage, de têtes de poissons et autres restes.

La brave femme était connue dans le quartier comme *la maman des chats*, et précisément elle allait porter toutes ces bonnes choses aux chats qui habitent d'ordinaire dans les forums romains. Là, ils passent sagement la journée en prenant le soleil tout en surveillant d'un seul œil les touristes. Faire la chasse aux rats, cela ne les inquiète pas le moins du monde, car beaucoup de braves dames et de braves hommes s'occupent à les engraisser comme il faut, avec leurs cornets et leurs cartons pleins de nourriture.

« Il ne va pas se mettre à pleuvoir ? » se demanda la *maman des chats*, en voyant soudain passer sur le trottoir l'ombre d'un nuage. Pour s'en assurer, elle regarda en l'air. « Un nuage ? Seigneur ! mais c'est un parachute ! Est-ce que la guerre aurait éclaté ? »

Un énorme parapluie orange descendait lentement du ciel bleu. Accrochée au parachute se balançait au vent une bizarre nacelle.

« Mais non, réfléchit avec bon sens la brave femme. Si c'était la guerre il y aurait un grand nombre de parachutes, des milliers de milliers, pas un seul. »

Le parachute descendait précisément sur le Colisée.

« Je vais voir, décida la *maman des chats*. Mes minets pourront bien attendre quelques minutes. »

Elle traversa la place et, pressant le pas autant que pouvaient le lui permettre ses vieilles bottines, elle se faufila sous une arche du Colisée et atteignit le parapet qui entoure l'arène juste à temps pour assister à l'atterrissage de la nacelle qui venait de se poser presque sous l'estrade d'où les empereurs de l'Antiquité regardaient le spectacle, jadis, avant d'entrer dans les livres d'histoire.

Et voici que la nacelle s'ouvre et qu'il en sort un enfant.

— Eh ! cria la *maman des chats*.

— Bonjour, Madame, répondit Jip, en courant joyeusement à sa rencontre.

— Comment ? Tu te promènes sans souliers ? lui dit la vieille femme sur un ton de reproche.

– C'est le Colisée, n'est-ce pas ? demanda Jip pour toute réponse.

– Bien sûr. Et fais attention à ne pas tomber dans quelque souterrain.

– Allons donc, d'ailleurs les lions n'y sont plus.

– Écoute, comment se fait-il qu'à présent on nous envoie des enfants par parachute ?

– Madame, mais vous n'avez pas la télévision ?

– Moi, non.

Jip en fut vexé. Arriver du cosmos et tomber (c'est le cas de le dire) sur la seule petite vieille de toute la surface terrestre qui n'en savait rien, c'était une drôle de chance !

– Excusez-moi, chère Madame. Je dois prévenir de mon arrivée, sinon, qui sait où l'on va me chercher. Et il courut vers la sortie.

Mais la *maman des chats* ne s'occupait plus de lui.

– *Minou-minou-minou*, appelait-elle d'une voix sucrée, viens, mon petit minet, viens chez ta petite maman, viens.

En effet, du vaisseau cosmique, était aussi descendu Garibaldi Premier, le chat que les savants de la base sarde avaient placé dans le satellite artificiel, pour étudier son comportement. Garibaldi Premier regardait autour de lui, perplexe.

– Mais c'est le Colisée, minet, le célèbre Colisée de Rome. On voit bien que tu n'es pas un chat du quartier. Mais ta petite maman a ici quelque chose, tu vas sentir, un petit quelque chose qui est tout à fait ce qu'il te faut.

Garibaldi Premier n'était pas d'ici, mais il avait tout de même du nez : et le cabas de la vieille dame l'intéressa fortement.

Pendant ce temps, à la sortie du Colisée, la déception de Jip se transforma en frayeur.

Une foule énorme se précipitait à l'assaut du monument, où, selon les dernières informations l'astronaute avait dû atterrir.

En accourant, avec tous les moyens de locomotion, des milliers de personnes disputaient la première place aux voitures de la télévision, avec leurs caméras en batterie, aux photographes, aux journalistes, aux représentants du gouvernement, du corps diplomatique et du conseil municipal.

De tous les coins de la capitale s'élevait un fracas assourdissant de cloches, de sirènes, de salves de coups de canon.

« Ils vont m'écrabouiller, pensa Jip. On ne retrouvera rien de moi, pas même mes chaussettes. Sauve qui peut ! » Faisant un demi-tour ultrarapide, il se glissa à nouveau sous les arches du Colisée, sauta à pieds joints par-dessus Garibaldi Premier autour de qui la brave dame étalait tous ses trésors gastronomiques, atteignit la nacelle, bondit dedans et s'enferma à clé.

– Doucement, nom d'un petit bonhomme ! cria la *maman des chats* aux premières vagues de la foule, doucement, mon minet doit manger !

Heureusement un photographe reconnut le chat de l'espace, donna l'alerte, et sauva ainsi la vie de l'animal et son repas. Jip, dans sa capsule, ne donnait pas signe de vie.

– *Il a les yeux fermés... Il est évanoui... Il est mort !... Jip, sors, Jip ! Toute l'Italie t'acclame !...*

– Mais, mais... d'abord calmez-vous, marmonna Jip, et après nous verrons. Et surtout pas la moindre télécaméra aux environs. Il ne manquerait plus

que je sois obligé de repartir aussitôt pour un autre voyage. Et une fois encore sans souliers.

Les plus impatients forcèrent la porte de la capsule et le portèrent à bout de bras, le soulevant au-dessus des applaudissements de la foule :

— Place ! Dégagez ! Il faut le porter tout de suite à l'hôpital. Appelez une ambulance.

Des ambulances, il y en avait au moins deux cents sur la place du Colisée, et leurs sirènes auraient réveillé une bonne douzaine d'astronautes évanouis. Mais pas Jip, qui n'ouvrit un œil que lorsqu'il entendit l'ambulance qui approchait, se frayant un chemin parmi la foule en fête.

Il s'assura qu'il n'y avait pas de télécaméra prête à l'avaler, ouvrit alors l'autre œil, puis éclata de rire. Les infirmiers, les ministres, les amiraux, les coiffeurs, les photographes, en somme les quelques dizaines de personnes qui étaient parvenues par miracle à s'entasser dans l'ambulance, firent écho à ce rire avec soulagement.

— S'il y a un train pour Milan, dit Jip, conduisez-moi à la gare.

Le Colisée était redevenu vide. Il n'était resté que la *maman des chats*. Garibaldi Premier, ignoré de la grande presse et des autorités, n'en paraissait pas moins très content. Il avait fait une telle ventrée de bonnes choses, qu'il n'avait même plus la force de remuer la queue.

La bonne petite vieille, pour l'emmener chez elle, dut le prendre dans ses bras.

GIANNI RODARI

est le plus grand écrivain pour la jeunesse de l'Italie contemporaine.

Né dans le Piémont en 1920, mort à Rome en 1980, il n'a cessé durant toute sa vie de démontrer que la faculté humaine fondamentale, c'est l'imagination. « On peut très bien, déclarait-il un jour, parler de choses sérieuses et importantes même en racontant des histoires amusantes, des contes farfelus. Du reste, que faut-il entendre par "gens sérieux" ? »

Gianni Rodari se servait d'un tas de trucs pour inventer des histoires.

ARMAND MONJO

est né en 1913 à Cavaillon, au cœur de la Provence où il a passé sa jeunesse. Journaliste et écrivain, il a traduit des œuvres essentielles de la littérature italienne, et s'est toujours intéressé au livre pour la jeunesse.

GRANJABIEL
pseudonyme de Jean-Gabriel Monnier, est né en
1951. Diplômé de l'École Nationale des Arts
décoratifs, il est peintre, illustrateur, affichiste et
enseignant. Ses dessins paraissent régulièrement
dans la presse économique et littéraire.

dans la même collection

ACHEVÉ D'IMPRIMER EN AOÛT 1993
SUR LES PRESSES DE SCANDIPRESS
POUR LE COMPTE DE SCANDÉDITIONS/LA FARANDOLE
146, RUE DU FAUBOURG POISSONNIÈRE, 75010 PARIS
DÉPÔT LÉGAL : AOÛT 1993
LOI N° 49.956 DU 16.07.1949
SUR LES PUBLICATIONS DESTINÉES A LA JEUNESSE.
N° D'ÉDITION : 3310
ISBN : 2-209-06769-3
N° IMP : 8